IN GEUREN EN KLEUREN

VOORWOORD

Geuren en kleuren hebben een belangrijk effect op onze gemoedstoestand. Meestal zijn we ons dat volstrekt niet bewust. Maar als je er even bij stilstaat, gaat er een fascinerende wereld voor je open, die teruggaat tot een ver verleden.

De oude beschavingen gebruikten al extracten van planten en bomen voor geurende oliën en balsems. Het gebruik van bloemengeuren en specerijen was heel gewoon. Beroemd is het verhaal over koningin Cleopatra die Marcus Antonius zou hebben verleid door haar kamer tot kniehoogte te vullen met geurige rozenblaadjes.

Kleuren speelden al een rol in de geneeskunde van de Egyptenaren en in het oude India. Vanaf halverwege de negentiende eeuw komt er steeds meer aandacht voor de effecten van kleur op het lichaam én de geest.

Tegenwoordig is er veel meer bekend over de werking van kleuren en geuren. Elke kleur en geur heeft zijn eigenheid en kracht. Hoe kunnen we ons welbevinden verhogen door het gebruik van kleuren en geuren? Dit boek geeft je een kleine inkijk in de weldadige effecten van kleuren en geuren. Ontdek wat geuren en kleuren voor jou kunnen doen om je heerlijk te laten ontspannen en alle stress en spanning van het dagelijkse leven even los te laten.

GEUR EN EMOTIE

Driekwart van onze emoties wordt gevormd door wat we ruiken, niet door wat we zien of voelen. Geur is dus heel bepalend voor de mens. Hoewel wij ons daar vaak niet van bewust zijn, gaat dit zelfs terug naar de band tussen ouder en kind. Ook mannen en vrouwen kunnen tot elkaar worden aangetrokken door elkaars geur. Door het opsnuiven van een bepaalde geur kan iemand letterlijk 'geraakt' worden.

Geuren werken niet alleen verleidend. Zij kunnen ook zorgen voor een goede of slechte gemoedstoestand. Zo zijn er geuren die comfort (bergamot, citroenmelisse), zelfvertrouwen (jasmijn, neroli), rust (lavendel, wierook) of zelfs een geluksgevoel geven (kamperfoelie). Als je in aanraking komt met frisse, natuurlijke geuren word je automatisch opgewekter en vitaler. Vergelijk het met een frisse neus halen tijdens een wandeling in de natuur. En als je graag chocolade eet en je ruikt deze geur, ervaart je lichaam dit als een opbeurende gebeurtenis.

ETHERISCHE OLIE

Etherische oliën worden ook wel essentiële oliën genoemd.
Ze bevatten de vluchtige bestanddelen - de bestanddelen die we kunnen ruiken en proeven - van planten, houtsoorten, wortels, harsen, zaden, bloemen en vruchten. De Egyptenaren gebruikten deze aromatische stoffen al voor medicinale en cosmetische toepassingen, maar pas rond de 10e eeuw na Christus leerde de mens een methode om etherische oliën te distilleren.

Etherische oliën werken antiseptisch en antibiotisch en bieden soelaas bij veel verschillende klachten. Sommige kun je puur gebruiken, zoals lavendel en tea tree, maar de meeste moet je eerst mengen met een neutrale olie. Doordat de oliën erg geconcentreerd zijn, is de werking sterk. Een paar druppels opgelost in een basisolie is al genoeg. Meestal komen de aromatische stoffen via de huid in de bloedbaan door aromatische baden, massage, huidpreparaten of kompressen.

Etherische oliën beïnvloeden je gevoelens op twee manieren.
Als je een etherische olie ruikt die je lekker vindt, heeft hij een aantrekkelijk en kalmerend effect op de geest. En doordat je de geur inademt, vindt er in je lichaam een reactie plaats die losstaat van het reukvermogen. Gebruik daarom oliën die je aangenaam vindt. Als je het aroma niet lekker vindt, zal de olie wel een gunstige uitwerking hebben op je lichaam, maar is het totale effect minder.
Oliebranders zijn een heel effectieve manier om gebruik te maken van etherische oliën. Het effect is gebaseerd op warmte. De etherische olie verdampt en verspreidt zijn geur door de ruimte. Vier druppels van een enkele olie of een combinatie van drie druppels van twee soorten geven ongeveer twee uur geur. Gebruik olie van tea tree en citroen om nare luchtjes te verdrijven of kies een van je favoriete aroma's om een sfeer te creëren die bij je stemming past.

GEUR EN HERINNERINGEN

Geuren roepen behalve gevoelens ook associaties op. De geur van warme melk kan je aan vroeger doen denken, toen je pap at voordat je naar school ging. De geur van dennennaalden doet je denken aan kerst, eucalyptus aan die heerlijke vakantie aan de Middellandse Zee.

Door bewust om te gaan met de associaties die geuren oproepen, kun je kleine momenten van geluk voor jezelf creëren. Je kunt geluk als het ware 'opslaan' in een geur. Zorg dat je een bepaalde geur ruikt op het moment dat je gelukkig bent. Als je later eens een mindere dag hebt, haal je dat geurtje tevoorschijn om het heerlijke gevoel terug te krijgen. Zo geef je jezelf een steuntje in de rug in minder leuke tijden.

REUKZIN

Hoe goed kunnen mensen ruiken? Laten we één fabeltje uit de wereld helpen: dat heeft niets te maken met de vorm van je neus! Als wij nog klein zijn, ruiken we behoorlijk goed. Dat vermogen neemt af naarmate we ouder worden.
Mensen kunnen tussen de drieduizend en tienduizend geuren onderscheiden. In het algemeen doen vrouwen het beter dan mannen. Dat lijkt te maken te hebben met het vrouwelijke hormoon oestrogeen.
'Geurblindheid' komt bij mensen niet zo vaak voor als kleurenblindheid, maar bestaat wel. Je kunt tijdelijk minder geuren waarnemen als je bijvoorbeeld verkouden bent. Sommige mensen kunnen ongevoelig zijn voor bepaalde geuren.
Geur en smaak zijn nauw met elkaar verbonden. Als je neus verstopt is, smaakt je eten ook minder. Als de reuk volledig uitvalt door een of andere ziekte, proef je alleen nog maar de primaire smaken zuur, zout, bitter en zoet.

AUFGUSS

Aufguss staat voor een heel bijzondere sauna-ervaring. Het betekent letterlijk opgieten, en de uitwerking ervan is zeer bijzonder.

Tijdens een Aufguss wordt water met een etherische olie op een hete saunakachel gegoten. Vooraf wordt uitgelegd welke geur er wordt opgegoten en wat de uitwerking daarvan is. Na het opgieten wappert de saunamedewerker de hete damp met de geur door de ruimte. Het is de bedoeling dat je extra gaat zweten en met behulp van de geuren nog meer ontspant.

Meestal worden er stimulerende, harmoniserende en kalmerende geuren gebruikt, zoals pepermunt, sinaasappel, jasmijn, lavendel en houtgeuren. Deze Aufguss-methode is niet alleen bedoeld om meer variatie en plezier in het saunabezoek te creëren, maar vooral om de ontspanning nog beter tot zijn recht te laten komen.

KENMERKEN EN EFFECTEN VAN ETHERISCHE OLIËN

DEN

De olie van de den wordt gewonnen uit de distillatie van de naalden. De geur is sterk en balsemachtig. Den verdiept de ademhaling. In verdampte vorm creëert het een zuiverende en verruimende sfeer in huis, het brengt als het ware het bos naar binnen. Den helpt om schuldgevoelens los te laten en spoort je aan om je dromen en wensen in praktijk te brengen. Den geeft ruimte in huis en hart. Recept voor op een ziekenkamer: 5 druppels den en 2 druppels bergamot verdampen in een oliebrander.

Den gaat goed samen met onder meer ceder, lavendel en eucalyptus.

LAVENDEL

De werking van lavendel is heel breed. Het reinigt en versterkt je lichaam en is zeer rustgevend. Lavendel zorgt voor evenwicht. Het beschermt je tegen te grote gevoeligheid en tegen emoties die uit de buitenwereld komen. Ook is het een uitstekend eerste hulpmiddel bij wondjes, pijn en bij alles wat geïrriteerd en rood is. Een paar druppels lavendel op je hoofdkussen komt je nachtrust ten goede. Een bad voor workaholics: 1 druppel neroli, 2 druppels lavendel, 1 druppel geranium en 1 druppel palmarosa toevoegen aan 10 ml neutrale badolie.

KAMILLE

Kamille heeft een fruitig, fris en zacht geurprofiel. Het geeft je troost en verzacht pijn, irritaties en verdriet. Je voelt je meer in harmonie met anderen en de communicatie verloopt beter. Als je ergens overgevoelig voor bent, werkt kamille kalmerend en geeft het je rust. Je kunt het goed toepassen bij kinderen die pijn hebben, angstig of prikkelbaar zijn.

Verdamp bij slapeloosheid en stress drie druppels kamille- en 3 druppels lavendelolie voor het naar bed gaan.

CEDER

Ceder is een tot 40 meter hoge groenblijvende naaldboom. Hij is inheems in het Atlasgebergte in Algerije en Marokko. Cederhout is hard en zeer geurig. De olie wordt verkregen door distillatie van het hout, de houtsnippers en het zaagsel. De geur van cederolie is warm, kamferachtig en zoet. Het is een perfecte geur om je verstrooide gedachten weer wat op orde te brengen.

Ceder is verwarmend en versterkt je gevoel van eigenwaarde. Samen met sinaasappel verwerkt in een massageolie of bodymilk werkt ceder vitaliserend op je lichaam. Een verwarmende massageolie: 50 ml massageolie, 5 druppels ceder en 5 druppels sinaasappel. Bij stress kun je 2 druppels ceder- en 3 druppels lavendelolie verdampen.

EUCALYPTUS

De eucalyptusboom komt van oorsprong uit Australië, maar komt ook voor in het Middellandse Zeegebied. Er zijn meer dan 700 soorten eucalyptus, waarvan de eucalyptus globalus het meest wordt gebruikt. Net als den en lavendel is eucalyptus een echte klassieker. De geur stemt je rustig en verkwikt je luchtwegen. Sluit je ogen en je waant je diep in het bos!

Als je behoefte hebt aan extra concentratie, verdamp je 3 druppels eucalyptus- met 3 druppels rozemarijnolie. Eucalyptus werkt ook antiseptisch en hoeststillend. Het verdampen van eucalyptus is bovendien een probaat middel om muggen op afstand te houden!

RELAXING

Relaxing is een samengestelde, ontspannende geurolie van exotische bloemen (onder meer cananga odorata, jasmijn en sandelhout). Dit aroma neemt alle spanning en vermoeidheid bij je weg en geeft je een weldadig, helder en fris gevoel.

De cannaga odorata, ook ylang-ylang genoemd, staat bekend als de 'bloem der bloemen'. Hij is afkomstig uit Madagaskar, een eiland voor de kust van Oost-Afrika. De weelderige, goudgele bloemen met fluwelen bloembladen produceren een heerlijke olie. Ylang-ylang kom je ook tegen in heel veel van de allerbeste parfums.

SINAASAPPEL

Sinaasappel is een zonnige, frisse olie, die je vrolijk maakt. Je voelt je heerlijk rustig, en verwerkt in een massageolie is sinaasappel een weldaad voor je vermoeide spieren. Sinaasappel kikkert je op en brengt het speelse kind naar boven dat in ons allemaal verborgen zit.

Een heerlijk mengsel voor in de oliebrander om een vrolijke sfeer te creëren: 2 druppels sinaasappel, 1 druppel vanille en 1 druppel koriander.

LEMONGRASS

Lemongrass (citroengras) is een aromatisch, tropisch gras uit India dat je veel tegenkomt als smaakmaker in de Indiase en Thaise keuken. De olie is sterk reinigend en laat een frisse wind door de ruimte waaien. Heb je even een moeilijk moment, ben je verveeld of heb je gebrek aan inspiratie, dan is lemongrass een goede keuze. Je geest verfrist en je voelt je direct weer actief.

Als je lemongrass combineert met salie in een bad- of massage-olie, wordt je lichaam gestimuleerd om afvalstoffen beter af te voeren. Lemongrass is heerlijk om die nare rookgeuren te verdrijven. Voor een schone atmosfeer verdamp je 3 druppels lemongrass met 3 druppels salie in een oliebrander.

LICHT EN GEUR

Een badkamer kan mooi en stijlvol zijn, maar voor een warme en koesterende sfeer is soms net iets meer nodig. Geurkaarsen bijvoorbeeld. Niet alleen zet het warme licht de ruimte in een sensuele gloed, een goedgekozen geur werkt heel direct op onze gemoedstoestand en dompelt ons in een sfeer van welbehagen. Kies bij voorkeur voor kaarsjes met natuurlijke ingrediënten, het liefst etherische oliën.

Je kunt etherische olie ook goed in een brander gebruiken. Doe wat water in het schaaltje van de oliebrander en voeg daar een paar druppels etherische olie aan toe. Steek onder het schaaltje een waxinelichtje aan. Terwijl het water met de olie verdampt, vult de ruimte zich met de geur van je keuze.

Lavendel werkt ontspannend en rustgevend, ideaal voor het slapengaan. Gebruik eucalyptus (goed voor de luchtwegen) bij verkoudheid en griep. Opbeurend zijn bergamot, roos, sinaasappel, lavendel en mandarijn. Heb je stoute plannen, profiteer dan van de afrodiserende werking van roos, jasmijn of ylang-ylang.

MET OLIE IN BAD

Een lekker bad is een prima plek om van de werking van etherische oliën te profiteren. Lavendel, bergamot en sandelhout werken ontspannend. Ben je juist toe aan een opkikkertje, gebruik dan rozemarijn, citroen of rozenhout.

RECEPT

Meng 4 tot 6 druppels etherische olie van je keuze met ca. 10 ml amandelolie, zonnebloemolie of een andere neutrale olie. Voeg het mengsel op het laatste moment toe aan het badwater. Terwijl de olie in je huid doordringt, ervaar je de heilzame werking van de geur tijdens het verdampen in het warme water. Of voeg 5 tot 10 druppels etherische olie toe aan twee handenvol grof zeezout in een glazen pot met deksel. Schud de pot stevig en strooi de inhoud in het badwater.

MASSAGE

Voor een massageolie meng je 2 tot 6 druppels etherische olie met 10 ml zonnebloemolie of amandelolie.

KIES JE KLEUR

Kleur heeft een subtiel maar onmiskenbaar effect op je gemoedstoestand. Hou daar rekening mee bij de inrichting van bijvoorbeeld de badkamer. Niet dat je meteen de muren moet gaan texen; speel gewoon met de kleuren van handdoeken, douchegordijn, badmatjes en andere accessoires. Warme kleuren (rood, oranje en geel) zijn opwekkend en vitaliserend, koele kleuren (groen, blauw en violet) kalmeren en ontspannen.

Rood is stimulerend en geeft energie.
Geel maakt optimistisch, positief en vrolijk, stimuleert je geest en bevordert concentratie en conversatie.
Groen is rustgevend en bevordert gevoelens van vrede, harmonie en tevredenheid.
Blauw werkt kalmerend, verkoelend en ontspannend, helpt je afstand te nemen en je naar binnen te keren.

LENTE

Bij de lente denk je meteen aan de kleur geel. De zon is geel en in de lente keert de zon terug. Ook veel bloemen die in de lente bloeien, zijn geel, zoals narcissen. De kleur van Pasen is ook geel. Maar ook andere frisse kleuren worden geassocieerd met lente, zoals pastelkleuren en groen.

ZOMER

In de zomer zie je veel
knalkleuren om je heen.
De felste bloemen staan
in bloei. De meeste
zomerkleding bestaat ook
uit harde kleuren, zoals
knalroze, turkoois, hardgeel
en rood. Kleuren waar je
echt vrolijk van wordt!

HERFST

Donkergeel, rood en bruin
zijn typische herfstkleuren.
De blaadjes aan de bomen
verkleuren en het bos
krijgt de prachtigste kleuren.
In de herfst schijnt de
zon minder. Daardoor
wordt er minder bladgroen
aangemaakt en kleuren de
bladeren langzaam rood
en geel.

WINTER

Bij winter denk je snel aan
Kerstmis. De traditionele
kleuren die hierbij horen,
zijn rood en groen.
Die komen overeen met de
kleuren van hulst,
die in deze tijd bloeit.
Andere winterkleuren zijn
wit en ijsblauw, de kleuren
van sneeuw, ijs en rijp.

KLEURRIJKE EMOTIES

Rood van woede
Groen van jaloezie
Blauw van de kou

We gebruiken vaak kleuren om gemoedstoestanden aan te duiden. Dat is niet zo raar, want kleuren hebben effect op je emoties.

Roze, lila en violet zijn zoete kleuren en versterken en verfijnen je intuïtie.

Je creëert rust en stilte met neutrale kleuren zoals beige, grijs, wit, zwart en bruin.

Warme kleuren als rood, oranje en geel geven je een vrolijk en warm gevoel. Rood geeft je een gevoel van intimiteit, energie, hartstocht en passie. Niet voor niets is het de kleur van de liefde. Daarnaast verhoogt het de eetlust, maar ook de hartslag en de bloeddruk. Oranje verwarmt net als rood, maar heeft een minder dramatische toon. Het geeft een gevoel van saamhorigheid. Geel is goed voor je gemoedstoestand, het maakt je vrolijk.

Koele kleuren als turkoois, blauw en groen werken verfrissend. Ze zijn ontspannend en geven je het gevoel van ruimte. Zacht blauw maakt je rustig en onderdrukt de eetlust. Groen werkt ook kalmerend, daarom wordt het vaak gebruikt in ziekenhuizen. Je zou het misschien niet verwachten, maar ook paars werkt rustgevend.

Een mens kan maar liefst zeven tot tien miljoen kleuren zien. Daarentegen is ongeveer 1 op de 8 mannen en 1 op de 250 vrouwen kleurenblind. De meeste kleurenblinden zien het verschil tussen rood en groen niet.

Groen ervaren wij als een ontspannende kleur. Daarom is een operatiekamer vaak groen. Dan wordt de chirurg het minst afgeleid.

Blauw is voor veel mensen de meest favoriete kleur. Blauw is de kleur van de lucht en de oceaan. Deze kleur is constant in ons leven aanwezig.

Met amandel- en rozengeur kunnen vrouwen makkelijker pijn verdragen. Maar bij mannen heeft het geen enkel effect. Geen wonder dat mannen kleinzerig zijn!

Colofon

Fotografie: Wim Hanenberg. Beeldarchief Studio ImageBooks.
Vormgeving: Studio ImageBooks.

www.imagebooks.nl